For Anna, who always laughs at my jokes.
Well, usually.
L.C.

To my young grandma, with love.
J.N.

This edition 2008

A CIP record for this book is available from the British Library

Mantra Lingua
Global House
303 Ballards Lane, London N12 8NP
www.mantralingua.com
www.talkingpen.co.uk

Çita'ya ayak uydurmak

Keeping Up With Cheetah

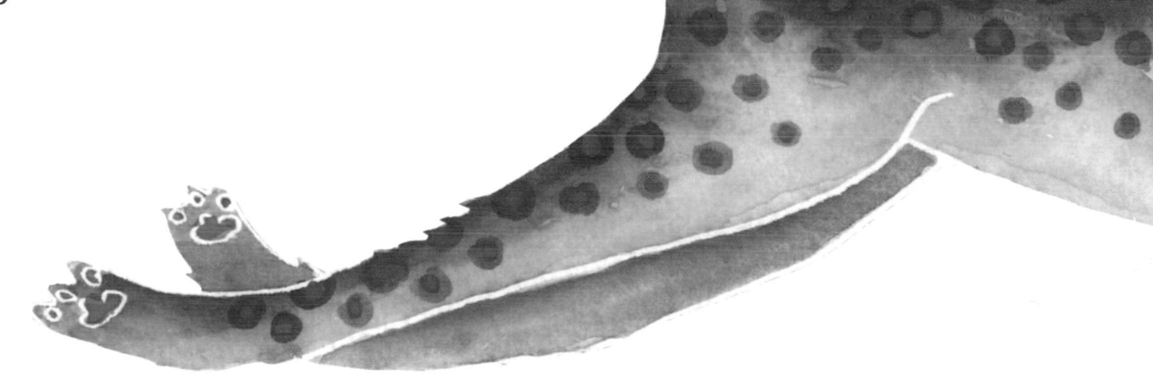

Written by Lindsay Camp

Illustrated by Jill Newton

Turkish translation by
Rina Bakis

Mantra Lingua

Çita'yla Su Aygırı fıkra anlatmayı çok severlerdi.
Aslında Çita fıkra anlatır, Su Aygırı ise sadece
dinler ve – böğürücü bir kahkaha – ile gülerdi.
Fıkralar pek te komik değillerdi; ama buna
rağmen Su Aygırı komik olduklarını düşünürdü.
İşte bu yüzden böylesine – iyi arkadaştılar.

Cheetah and Hippopotamus loved telling jokes.
Actually, Cheetah told the jokes. Hippopotamus just
listened and laughed – a deep, bellowy laugh.
The jokes weren't very funny, but
Hippopotamus thought they were.
And that's why they were such
good friends.

Ancak, Su Aygırı'nda Çita'yı kızdıran bir şey vardı – Su Aygırı çok hızlı koşamazdı.

But one thing about Hippopotamus annoyed Cheetah – Hippopotamus couldn't run very fast.

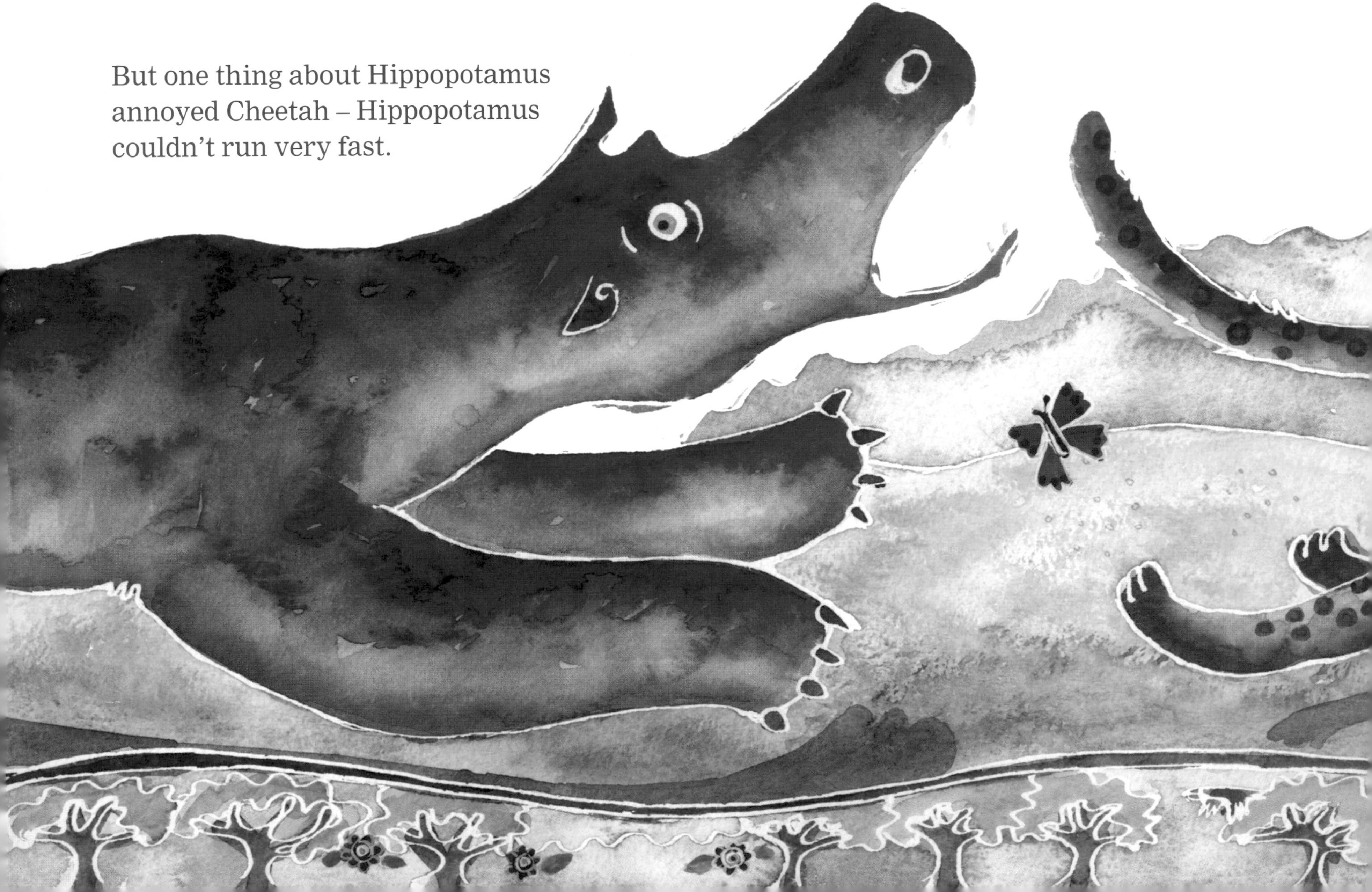

“Hadi Su Aygırı,” diye Çita onu sabırsızca çağırırdı. “Bana ayak uyduramazsan, yeni fıkralarımı dinliyemezsin,” derdi.

“Come on Hippopotamus,” Cheetah would shout impatiently. “If you can’t keep up with me, you won’t hear my new joke.”

Ama maalesef bu yeterli değildi. Su Aygırı Çita kadar hızlı koşamıyordu. Böylelikle Çita Deve Kuşu ile arkadaşlık kurdu.
Su Aygırı ağlayacak gibi oldu. Ama ağlayacağına koşma talimlerinde bulunmaya başladı. O kadar çok koştu ki, nefesi kesildi ve yere uzanmak zorunda kaldı.

But it was no good. Hippopotamus couldn't run as fast as Cheetah. So Cheetah made friends with Ostrich instead.
Hippopotamus felt like crying. But, instead, he practised running until he was so out of breath that he had to lie down.

Ve her ne yapsa Çita'ya ayak uyduramayacağını anladı.

And he knew he still couldn't keep up with Cheetah.

Deve Kuşu ise Çita'ya ayak uydurabiliyordu – yani, nerdeyse. Çita böyle iyi yeni bir arkadaş edindiği için ne kadar da akıllı olduğunu düşündü. "Yeni fıkramı dinlemek istermisin Deve Kuşu?" diye sordu.

Ostrich could – very nearly, anyway. Cheetah thought how clever he was to have made such a good new friend. "Would you like to hear my new joke, Ostrich?" he asked.

"Hayır, teşekkür ederim," dedi Deve Kuşu.
"Fıkraları pek sevmem. Gel biraz daha koşalım."

"No thank you," said Ostrich. "I don't like jokes. Let's run some more."

Çita o gün için yeteri kadar koştuğunu düşündü. Artık fıkra anlatmak istiyordu. Böylelikle Zürafa ile arkadaş oldu.
Su Aygırı da Çita kadar hızlı koşmaya daha da fazla kararlıydı.

Cheetah had run enough for one day. He wanted to tell jokes. So he made friends with Giraffe instead. Now Hippopotamus was even more determined to run as fast as Cheetah.

Bu yüzden, saklanıp Zürafa ile Çita'nın dörtnala sıçramalarını seyretti. Zürafa'nın uzun bacakları öne doğru sıçradı ve Çita dengesini korumak için kuyruğunu bir yandan diğerine çarptı.

So he hid and watched as Giraffe and Cheetah galloped by. Giraffe's long legs flew out in front and Cheetah lashed his tail from side to side to keep his balance.

Ardından, Su Aygırı da aynısını yapmayı denedi.
Ama kolay değildi.

Then Hippopotamus tried to do the same.
It wasn't easy.

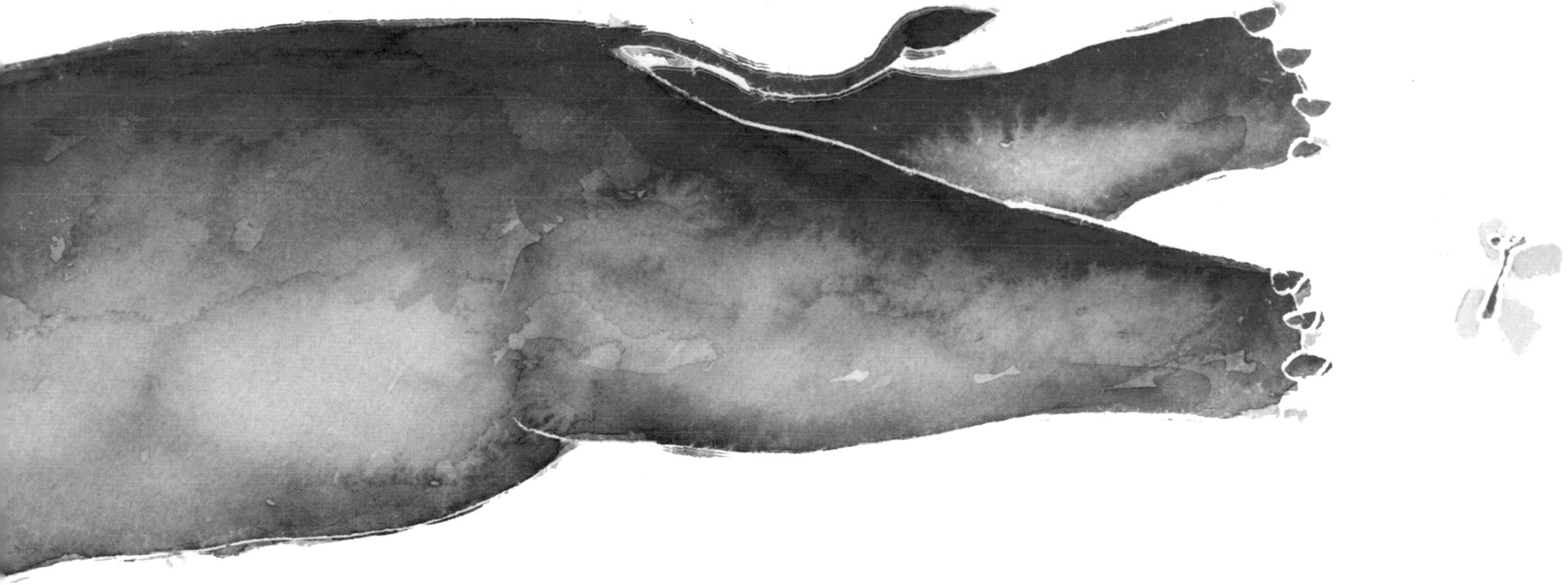

Su Aygırı ŞİDDETLİ BİR SESLE yere düştü!
Çita'ya ayak uydurması çok uzun sürecekti.

Hippopotamus fell down with a CRASH!
It would be a long time before he could
keep up with Cheetah.

Zürafa ise ayak uydurabiliyordu –
hiç olmazsa nerdeyse.

Giraffe could – very
nearly, anyway.

"Yeni fıkramı dinlemek ister misin Zürafa?" diye sordu.
"Pardon?" dedi Zürafa. "Seni bu kadar yüksekten duyamıyorum."
"Fıkralarımı dinleyemeyen bir arkadaştan ne hayır gelir?" diye Çita kızgın bir şekilde söylendi.

"Would you like to hear my new joke, Giraffe?" Cheetah asked.
"Pardon?" said Giraffe. "I can't hear you from up here."
"What's the good of a friend who doesn't even listen to your jokes?" thought Cheetah crossly.

Böylelikle Sırtlan ile arkadaş oldu.
Su Aygırı bunu gördüğünde kendini sıcak ve öfkeli hissetti.
Kendini iyi hissettirecek sadece bir şey vardı.

And he made friends with Hyena instead.
When Hippopotamus saw this, he felt hot and bothered.
There was only one thing that would make him feel better.

Çamur içinde iyicene, uzun uzun oynayıp yüzmek.
Su Aygırı çamurda oynayıp yüzmeyi çok severdi. Etraf ne kadar derin ve çamurlu ise, o kadar zevk alırdı. Ama uzun zamandır çamur içinde oynamamıştı. Çünkü Çita ona çamurun kirli olduğunu söylemişti.

A good, long, deep, muddy wallow.
Hippopotamus loved wallowing. The deeper, the muddier, the more he enjoyed it. But he hadn't had a wallow for a long time, because Cheetah said it was dirty.

"İyi o zaman," diye düşündü Su Aygırı, "Artık her istediğimi yapabilirim."
Ve nehre – SPLAŞ – diye daldı! Bu harika bir histi.

"Well," thought Hippopotamus, "I can do what I like."
And he dived into the river – SPLOOSH!
It felt wonderful.

Orda uzanmış yatarken, ne kadar aptalca davrandığını düşündü.
Hızlı koşamıyordu ama çamur içinde yüzebiliyordu. Her ne kadar da bir arkadaş kaybettiğine üzüldüyse de, hiç bir zaman Çita'ya ayak uyduramayacağını biliyordu.

As he lay there, he thought how silly he'd been. He couldn't run fast,
but he could wallow. And although he was sad to lose a friend,
he knew that he would never be able to
keep up with Cheetah.

Sırtlan ise ayak uydurabiliyordu – Hiç olmazsa – nerdeyse. Çita ondan çok memnundu. “Tok tok,” dedi Çita.
“Ha–hiiiiii–hiii–hiiiii!” dedi Sırtlan.

Hyena could – very nearly, anyway. Cheetah was very pleased.
“Knock knock,” said Cheetah.
“Ha-hee-he-heeee!” said Hyena.

Çita “Kim o? demen lazım,” diye hiddetle söylendi. “Komik kısmına gelmeden gülmeye başlarsan, sana yeni fıkramı anlatmamın ne anlamı kalır ki?”
Sırtlan “HAH–İİİ–Hİİİ–Hİİİ–Hİİİ–Hİİİ!” diye bağırdı.

“You’re supposed to say, ‘Who’s there?’ ” snapped Cheetah. “What’s the point of telling my new joke, if you laugh before I get to the funny bit?”
“HAH-EH-HEH-HEE-HEE!” screamed Hyena.

Böylelikle, Çita başka çeşit bir arkadaşa ihtiyacı olduğunu anladı. Kendi başına koşabilirdi, ama fıkra anlatmak sadece onu dinleyecek biri olduğunda – ve sadece komik yerlerine gülündüğünde – eğlenceliydi. Böyle bir arkadaşı nerde bulabilirdi?

Then Cheetah realised that what he really needed was a different sort of friend. He could run by himself, but telling jokes was only fun if someone listened – and only laughed at the funny bits. Where could he find a friend like that?

Böyle bir arkadaşı vardı bile! Çita gölgeli ağaca doğru koştu. Ama Su Aygırı orda değildi. Çita oradan ayrılırken, böyle iyi bir arkadaş kaybettiği için ne kadar aptal olduğunu düşündü.

He already had one! Cheetah ran to the shady tree but Hippopotamus wasn't there. As Cheetah walked slowly away, he thought how silly he had been to lose such a good friend.

Birden, nehirden kendine doğru
bakan iki çift göz gördü.

Suddenly he saw a pair of eyes
watching him from the river.

"Tok tok," dedi Çita.
"Kim o?" dedi Su Aygırı.
"Tabii ki, H-iiiita!" dedi Çita.
Ve Su Aygırı güldü de güldü.

"Knock knock," said Cheetah.
"Who's there?" said Hippopotamus.
"H-eetah, of course!" said Cheetah.
And Hippopotamus laughed
and laughed.

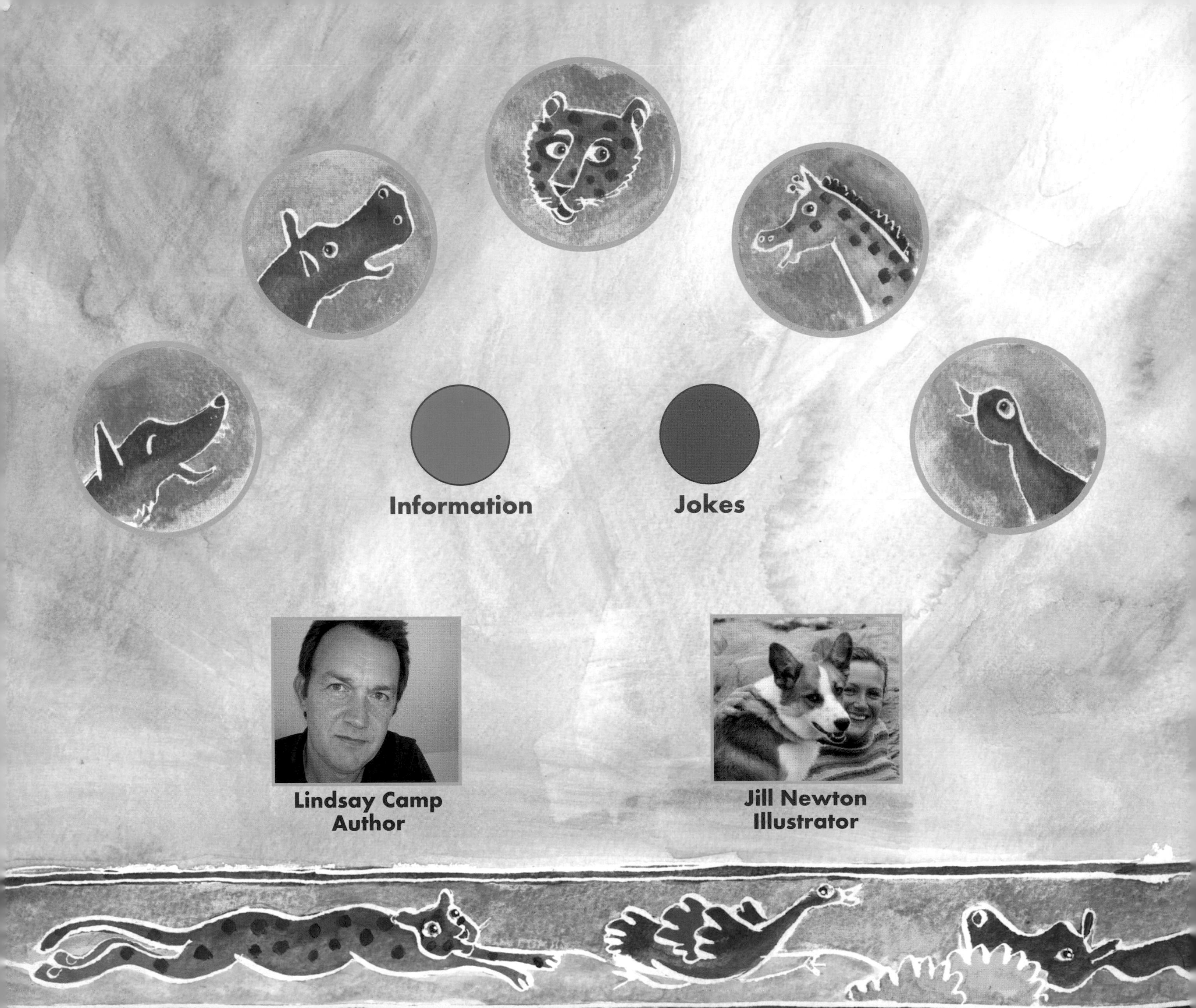
Information
Jokes
Lindsay Camp
Author
Jill Newton
Illustrator

a b c d e f g
h i j k l m n
o p q r s t u
v w x y z
Question

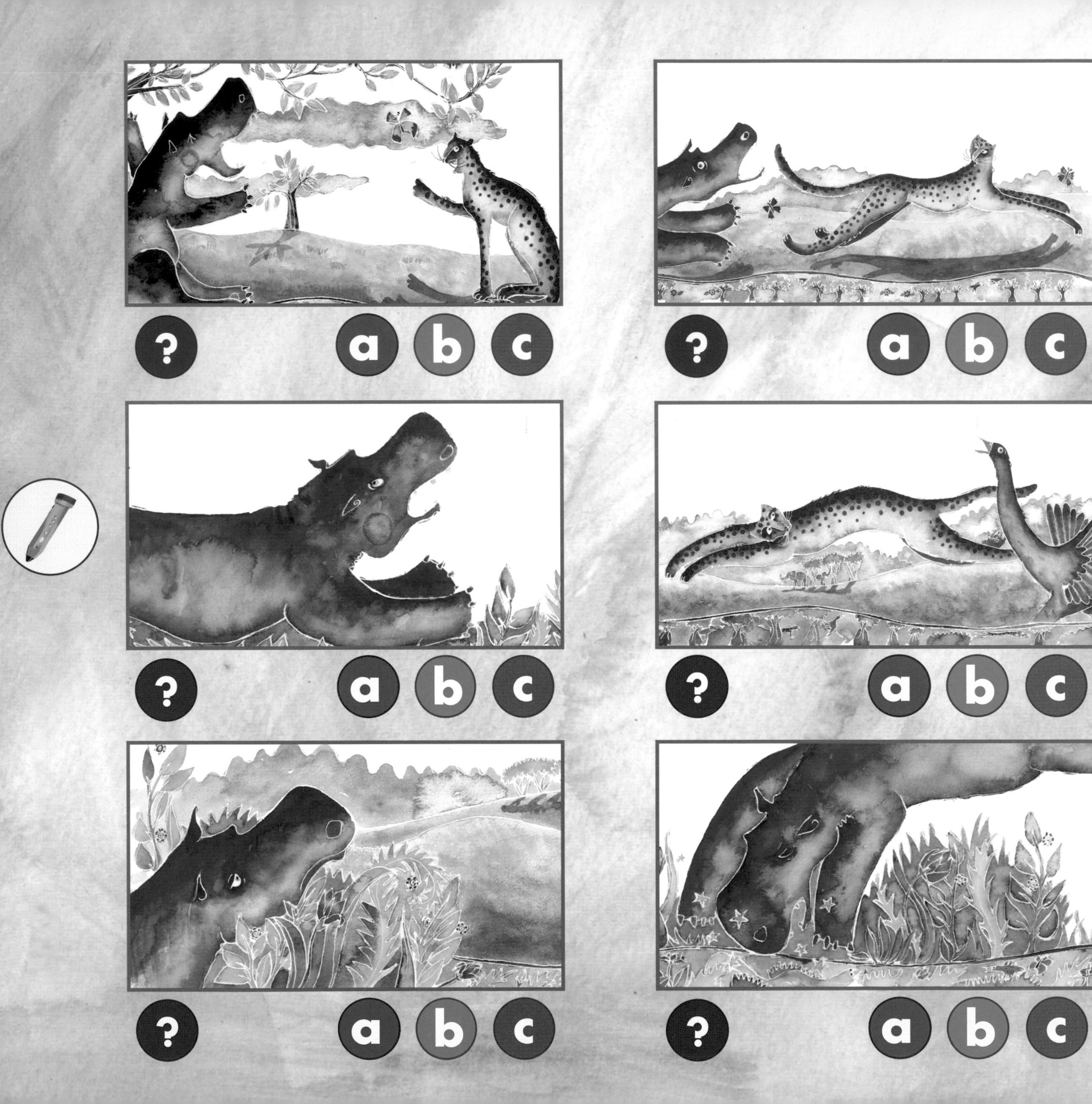
?
a
b
c
?
a
b
c
?
a
b
c
?
a
b
c
?
a
b
c
?
a
b
c

?
a
b
c
?
a
b
c
?
a
b
c
?
a
b
c
?
a
b
c
?
a
b
c